Marcin Malicki

# Najpiękniejsze
# Baśnie
# Braci grimm

Zilustrował Marcin Piwowarski

WYDAWNICTWO 🦉 ZIELONA SOWA

# Kopciuszek

Pewnego razu żyła sobie śliczna dziewczynka. Rodzice bardzo ją kochali. Jej mama była piękną i dobrą kobietą, a ojciec pracował uczciwie i otaczał rodzinę troską. Dziewczynka rosła zdrowo i zapowiadała się na uroczą panienkę. Niestety, szczęście rodziny nie trwało długo – matka dziewczynki ciężko zachorowała i wkrótce umarła.

Po pewnym czasie ojciec ożenił się powtórnie z inną kobietą – wdową, która miała dwie córki. Jakże inna to była jednak osoba! Po ślubie okazało się, że interesowały ją tylko klejnoty, suknie i bale. Dbała jedynie o swoje dwie szpetne i zarozumiałe córki, a pasierbicę miała w głębokiej pogardzie. Nieustannie dąsała się też na swego męża i wciąż robiła mu gorzkie wymówki – a to, że źle się ubiera, a to, że nie mieszkają w wielkim pałacu, że jest za chudy, a innym razem, że za gruby.

Jego córce zakazała jeść razem z resztą rodziny i przeznaczyła ją do prac służącej. Dziewczynka musiała spać na malutkim, twardym łóżku w kuchni, całymi dniami czyścić piec i szorować na kolanach podłogę. Od ciężkiej pracy wciąż była umorusana kurzem i popiołem, więc okrutne przyrodnie siostry przezwały ją Kopciuszkiem. Lubiły też wydawać jej rozkazy, by przynosiła im wciąż nowe suknie i parzyła herbatę z malinami.

Biedna dziewczynka nie raz płakała długo w nocy. Gdy siedziała sama w kuchni, lubiła sypać na parapet okruszki chleba zebrane ze stołu. Do okna zlatywały się wówczas wróble i zjadały okruszyny, śpiewając wdzięcznie do Kopciuszka.

Pewnego dnia ogłoszono w królestwie, że książę poszukuje żony i dlatego postanowił wyprawić w pałacu wielki bal dla wszystkich niezamężnych dam. Macocha słysząc to, aż podskoczyła i z radości zaklaskała w dłonie.

– Ach, to wyśmienita okazja dla moich wspaniałych córeczek! Książę na pewno dostrzeże ich urodę i powab.

Kopciuszek również chciał pójść na bal i nieśmiało zapytał o to. Tata chętnie się zgodził, ale macocha, słysząc to, wpadła w furię. Zaś przyrodnie siostry złośliwie chichotały:

– Ty na balu? Dobre sobie! Jeszcze cię pomylą ze strachem na wróble! – dworowały sobie, wytykając ją palcami.

– Dobrze, pójdziesz na bal, ale tylko jeśli wybierzesz do wieczora całą soczewicę z miski popiołu – zawyrokowała macocha, pewna że to zadanie przerośnie dziewczynkę.

Kopciuszek zasiadł więc smętnie w kuchni i zaczął wybierać małymi paluszkami ziarenka jedno po drugim. Rzeczywiście praca była zbyt wielka.

Lecz oto nagle dziewczynka usłyszała głośny szum i przez kuchenne okno sfrunęło wielkie stado wróbli, które obsiadły dziewczynkę i migiem wydziobały całą soczewicę z miski. Gdy tylko skończyły, zaćwierkały i wyfrunęły na dwór.

Gdy Kopciuszek pokazał wykonane zadanie macosze, kobieta jeszcze bardziej się zezłościła.

– Nie myśl, że ta jedna miseczka sprawi, że pozwolę ci iść – powiedziała surowo. – Oto balia maku i soczewicy. Wybierz z niej do wieczora wszystkie ziarnka maku, a może pójdziesz na bal.

Kopciuszek zasiadł znów ze smutkiem i zaczął mozolnie wybierać malutkie ziarenka. Jednak i tym razem usłyszał znajomy szum skrzydeł – do kuchni sfrunęli ptasi przyjaciele. Wróble żwawo zabrały się do pracy i przed wieczorem zadanie było skończone. Gdy Kopciuszek pokazał przebrany mak, macocha zrobiła się na twarzy purpurowa i krzyknęła wściekła:

– Niech ci się nie wydaje, że pozwolę ci pójść na bal! Spójrz na siebie! Taki kocmołuch na sali balowej, pośród burgrabiów i hrabianek? Przyniosłabyś wstyd całej naszej rodzinie! Zostaniesz w domu i wypolerujesz wszystkie naczynia.

Po tych słowach macocha zarzuciła na ramiona zdobiony perłami szal, zabrała córki wystrojone w najszykowniejsze suknie i pognała karocą do pałacu.

Kopciuszek został sam w domu. Dziewczynka, łykając łzy żalu, siedziała w kuchni przy płomyku świecy i polerowała ściereczką naczynia. Ach, jak chciałaby pójść na bal i zobaczyć prawdziwego księcia!

Lecz oto nagle... tonąca w półmroku kuchnia zaczęła lśnić tajemniczym światłem. Wokół zrobiło się jasno i jakby weselej. Chwilkę później Kopciuszek aż krzyknął ze zdumienia, bo pośród blasku zobaczył dziwną postać. Była to... prawdziwa wróżka!

– Nie bój się, Kopciuszku – rzekła ciepłym, radosnym głosem. – Zasłużyłaś na to, by pójść na bal znacznie bardziej niż twoje przyrodnie siostry.

– Ależ Pani Wróżko – wahała się dziewczynka – spójrz na mnie, przecież ja nie mam żadnej czystej sukienki.

– O to się nie martw, moja droga – uśmiechnęła się wróżka i klasnęła w dłonie. Natychmiast przez okno wleciały znajome wróble, niosąc w dzióbkach najpiękniejszą suknię balową, jaką można sobie wyobrazić. Była uszyta z cudownie lekkiego materiału i cała skrzyła się drogimi kamieniami. Kiedy Kopciuszek włożył ją na siebie, wyglądał olśniewająco.

– Nie ma czasu do stracenia, kochanie, bal zaraz się rozpocznie – odezwała się wróżka ponownie, rada z wyglądu dziewczynki. Jeszcze raz klasnęła w dłonie i rodzinka myszek, które Kopciuszek często dokarmiał, wybiegła przed dom. Wróżka klasnęła znowu i myszki urosły do wielkości rumaków, a dynia z warzywnego ogródka zamieniła się we wspaniałą karocę.

– Wsiadaj, jedź do pałacu i baw się dobrze. Ale pamiętaj o jednym. Punktualnie o północy czar skończy swe działanie. Musisz wcześniej opuścić pałac! – ostrzegła wróżka.

Kopciuszek skwapliwie przytaknął i wsiadł do karocy, a zaczarowane myszy pognały pędem, ciągnąc zaprzęg. Dziewczynka zdążyła w ostatniej chwili. Gdy dotarła na miejsce, książę wraz ze swymi rodzicami – królem i królową – wkraczali właśnie przy dźwięku fanfar na salę balową. Nikt z zebranych tam hrabin, szlachcianek, baronów i ministrów nie wiedział, kim była piękna dziewczyna w cudownej sukni, która zjawiła się niespodziewanie w pałacu. Jedno było jednak pewne – nikt nie mógł oderwać od niej wzroku. Gdy książę poprosił Kopciuszka do tańca, a potem do następnego i jeszcze następnego, macocha i jej szpetne córki szalały z gniewu i zazdrości.

A Kopciuszek przeżywał chwile szczęścia, wirując taniec za tań-
cem w ramionach przystojnego księcia i patrząc mu głęboko w oczy.
Wieczór był tak cudowny, że wydawało mu się, iż czas się zatrzymał
i ani się obejrzał, a... zegar zaczął wybijać dwunastą!

Przestraszony Kopciuszek natychmiast wysunął się z ramion księcia i pobiegł do wyjścia. Młodzieniec, nie rozumiejąc co się stało,

ruszył za nim, ale nie mógł go dogonić. Jednakże, gdy dziewczyna wsiadała w biegu do karocy, z jej drobniutkiej nóżki ześlizgnął się atłasowy pantofelek. Nie było jednak czasu, by go podnosić – stangret trzasnął z bicza i konie ruszyły galopem w noc. Gdy książę wybiegł na schody, po pięknej niezna-jomej nie było już śladu, ale na ostatnim schodku leżał jej mały bucik.

Gdy Kopciuszek dotarł do domu, jego piękna suknia i cudowna karoca z dyni zniknęły. Z powrotem stał w brudnych łachmanach.

Niedługo potem do domu wróciła wściekła macocha i jej córki, ponieważ książę nie chciał bawić się dalej bez pięknej nieznajomej i bal został zakończony przed czasem.

Następnego dnia młodzieniec postanowił, że nie spocznie, dopóki nie odnajdzie dziewczyny, która zawładnęła jego sercem. Ogłosił, że szuka w całym królestwie nieznajomej szlachcianki, która zgubiła pantofelek na wielkim balu. Następnie, razem z dworską świtą szedł od domu do domu i prosił każdą niezamężną pannę o przymierzenie bucika – był on jednak tak subtelny i tak drobny, że nie pasował na żadną z nich.

Wreszcie książę dotarł także do domu Kopciuszka. Macocha, niczego nie podejrzewając, aż podskakiwała z radości.

– Pamiętajcie, dziewczęta! Macie zrobić wszystko, żeby założyć pantofel na nogę. To tylko chwila bólu, a potem... dla tej, której się uda, szczęście bez końca! – radziła.

Szpetne córki z całych sił próbowały naciągnąć bucik na swe wielgachne, nieforemne stopy. Próbowały tak mocno, że krew tryskała im ze zdartej skóry – wszystko na nic. Książę posmutniał więc i już chciał dać za wygraną, gdy zobaczył siedzącego cicho w kącie Kopciuszka. Poprosił więc i dziewczynę, by przymierzyła bucik. Macocha jednak oburzyła się i bezczelnie krzyknęła:

– Ależ książę, nie godzi się, by taki kocmołuch przymierzał ten śliczny bucik!

– Proszę nie przeszkadzać. Chcę, by przymierzyły go wszystkie panny – odrzekł książę sucho i podał Kopciuszkowi pantofelek.

Dziewczyna nieśmiało wsunęła go na drobną nóżkę... pasował idealnie! Księciu łzy wzruszenia stanęły w oczach. Podbiegł do Kopciuszka i porwał go w ramiona.

– Ach, więc to ty! Teraz poznaję! Jakże to, że taka piękność żyje w takiej nędzy. Proszę, zostań moją żoną i zamieszkaj ze mną w pałacu.

Kopciuszek zgodził się z radością i żył z księciem w radości długie, długie lata. I wcale nie mścił się na złej macosze i jej córkach. Zaprosił je również do pałacu i poprosił księcia, by zostały królewskimi dwórkami. One zaś żałowały swego wcześniejszego postępowania i od tej pory słynęły wszędzie z dobroci.

# Kot
# w butach

Ż ył raz pewien bogaty młynarz. Gdy się zestarzał i zbliżała się doń nieubłaganie śmierć, przywołał do siebie synów. Najstarszemu przekazał w spadku swój okazały młyn, średniemu dom i zapas pieniędzy, a najmłodszemu, Jasiowi, jedynie czarnego kota, który łapał myszy między workami mąki. Niedługo później stary młynarz zmarł.

Dumni bracia nie mieli ochoty dzielić się majątkiem z najmłodszym. Mały młynarczyk usiadł więc na pieńku nieopodal młyna i zapłakał nad swoją niedolą, nie wiedząc co począć dalej. Kiedy już wyschły łzy na jego policzkach i przetarł oczy, ujrzał zdumiony, że jego kocur stoi przed nim na dwóch łapach i podkręca zawadiacko wąsa.

– Nie martw się, panie. Ze mną nie zginiesz. Jeśli tylko spełnisz dwie moje małe prośby, uczynię cię człowiekiem szczęśliwym i bogatym.

– Cóż takiego mam uczynić? – zapytał wciąż zdziwiony młynarczyk.

– Proszę cię jedynie, byś sprawił mi porządną torbę i parę skórzanych, podkutych butów. Rób też wszystko, co będę ci radził i nie pytaj o nic, a zapewniam cię, że niczego nie będziesz żałował.

Chłopiec wciąż oszołomiony, że kot przemówił do niego ludzkim głosem, pobiegł na targ i za ostatnie grosiki kupił to, o co prosiło go zwierzę. Gdy tylko wrócił, kocisko założyło na ramię torbę, a na tylne łapy śliczne czerwone buty. Następnie chyżo podskoczyło, trzaskając obcasami, wrzuciło do torby główkę sałaty i pobiegło co prędzej na pole.

Gdy sprytny kocur już tam dotarł, położył sałatę w widocznym miejscu i ukrył się prędko w zaroślach. Po pewnym czasie zjawił się królik, zwabiony soczystymi liśćmi sałaty. Kiedy zbliżył się dostatecznie blisko, kot błyskawicznie wyskoczył z zarośli, złapał go za uszy i schował do swej torby. Zadowolony z siebie pobiegł ile sił w nogach do zamku króla tamtej krainy. Przed bramą zzuł szybko buty, chwycił torbę w zęby i przemknął przez bramę niczym zupełnie zwyczajny kot. Przez zakamarki zamczyska przebiegł zwinnie aż pod komnatę królewską. Tam ponownie założył buty oraz torbę, pewnym krokiem wkroczył na salę, stanął przed tronem i skłonił się w pas – ku zdumieniu króla, strażników i dworzan. Nim zdążyli ochłonąć, kot przemówił w te słowa:

– Mój najjaśniejszy panie, przekazuję ci w skromnym, ale z serca płynącym darze tego oto dorodnego królika. To prezent od dostojnego markiza Karabasa. Zechciej wyświadczyć nam tę radość i przyjmij go, a zapewniam, że docenisz jego smak.

Król podziękował łaskawie, choć zdziwił się, bo po raz pierwszy słyszał o takim markizie. Po krótkiej rozmowie kot pożegnał się, znanym już sposobem wydostał się szybko z pałacu i ponownie pobiegł na pole. Tym razem zapolował na dwie tłuste kuropatwy. Gdy je schwytał, znów udał się do króla i jeszcze raz wręczył podarunek w imieniu markiza Karabasa.

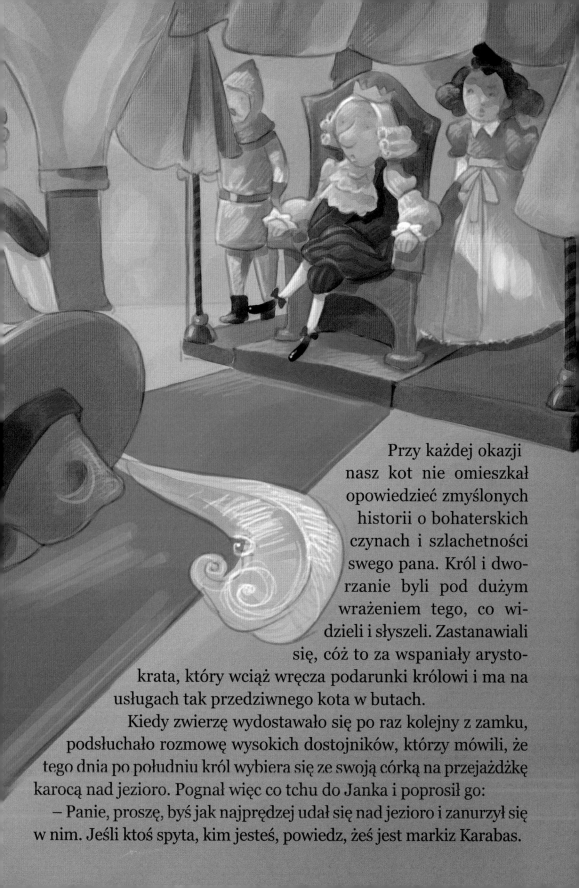

Przy każdej okazji nasz kot nie omieszkał opowiedzieć zmyślonych historii o bohaterskich czynach i szlachetności swego pana. Król i dworzanie byli pod dużym wrażeniem tego, co widzieli i słyszeli. Zastanawiali się, cóż to za wspaniały arystokrata, który wciąż wręcza podarunki królowi i ma na usługach tak przedziwnego kota w butach.

Kiedy zwierzę wydostawało się po raz kolejny z zamku, podsłuchało rozmowę wysokich dostojników, którzy mówili, że tego dnia po południu król wybiera się ze swoją córką na przejażdżkę karocą nad jezioro. Pognał więc co tchu do Janka i poprosił go:

– Panie, proszę, byś jak najprędzej udał się nad jezioro i zanurzył się w nim. Jeśli ktoś spyta, kim jesteś, powiedz, żeś jest markiz Karabas.

Jan nie rozumiał dziwnych propozycji kota, ale obiecał robić wszystko, co mówi i nie pytać o nic, więc posłusznie udał się nad jezioro i zanurzył w wodzie. Przebiegłe kocisko natychmiast schowało w zaroślach jego ubranie i pobiegło na drogę wypatrywać królewskiej karocy. Wkrótce ze wzgórza w tumanach kurzu zaczął zjeżdżać wspaniały zaprzęg w eskorcie rycerzy na koniach. Kot wybiegł im naprzeciw, machając gwałtownie rękami i jęcząc żałośnie:

– Ratunku, na pomoc! Straszni zbójcy napadli dostojnego markiza Karabasa, obrabowali go i wrzucili do jeziora! Nie pozwólcie utonąć tak szlachetnemu mężowi!

Gdy tylko król usłyszał wołanie kota, przypomniał sobie jego wspaniałe dary i nakazał stangretowi skręcić z drogi nad brzeg jeziora, a następnie polecił rycerzom wyłowić markiza z wody.

Minęło kilka chwil i młynarczyk stał już na piasku owinięty płaszczem, który dali mu rycerze. Król szybko polecił założyć mu wspaniałe szaty, które wiózł ze sobą – wszak nie godzi się, by markiz chodził nagi. Jaś szybko się przebrał i trzeba przyznać, że w szlacheckim stroju prezentował się wyśmienicie. Kot był w swoim żywiole, krzyczał i podskakiwał wokół króla i księżniczki:

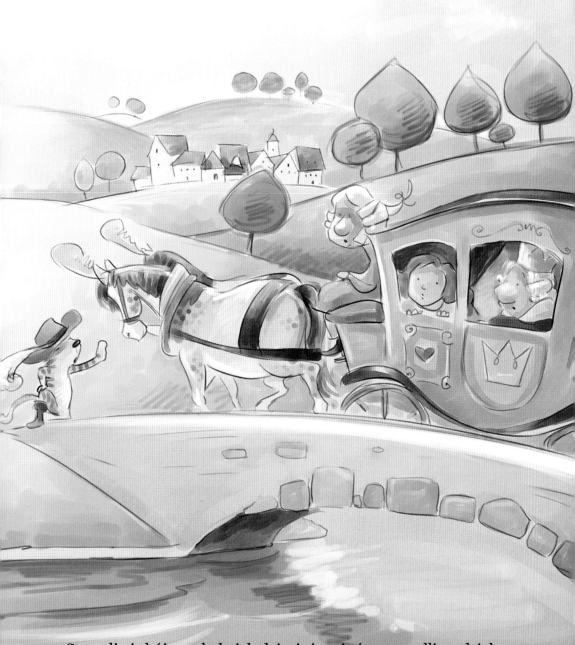

– Straszliwi zbójcy, a było ich dziesięć tuzinów, napadli na dzielnego markiza. Mój odważny pan bronił się jak lew, mistrzowsko kłuł rapierem i powalił dziesiątki tych złoczyńców, ale otoczyli go ze wszystkich stron, zerwali zeń ubranie i wrzucili do wody. Jakże jesteśmy ci wdzięczni, najjaśniejszy panie, że przybyłeś w porę i uratowałeś go! – perorował kot, puszczając oko do zdumionego młynarczyka.

Król, który pamiętał o miłych prezentach, wyraził radość ze spotkania i zaprosił Janka do karocy na wspólną przejażdżkę.

– Najjaśniejszy panie, w dowód dozgonnej wdzięczności za uratowanie życia, markiz oraz moja skromna osoba, pragniemy was zaprosić na odpoczynek do zamku mojego pana – zaproponował chytrze kot, a Jaś z całych sił powstrzymywał się by nie parsknąć śmiechem. „Ja i zamek – dobre sobie!" – myślał, ale niczego nie dawał po sobie poznać. Król i księżniczka zgodzili się od razu i powóz ruszył, a tymczasem kot pobiegł pędem przed nimi. W drodze księżniczka patrzyła jak urzeczona na urodziwego młynarczyka ubranego w piękne szaty.

Gdy kot dotarł na pola, na których pracowali rolnicy, nakazał im mówić, że pracują na ziemiach markiza Karabasa. Biedni chłopi nie rozumieli ani tego, w jaki sposób ludzkim głosem przemawia do nich przedziwny kot w butach, ani dlaczego mają mówić o markizie, którego imienia nigdy wcześniej nie słyszeli. Ponieważ jednak kot przemawiał do nich bardzo surowo, a ponadto szczerze nienawidzili swego prawdziwego pana, zgodzili się na jego propozycję. Właścicielem tych ziem

był bowiem potężny, zły czarownik, który mieszkał w pobliskim zamku, na wzgórzu i siał postrach w całej okolicy. Rzucał klątwy i groźne czary na wszystkich, którzy odmówili mu posłuszeństwa.

Kot jednak nie bał się ani trochę i bez lęku przekroczył bramę zamkową, a następnie drzwi do komnat. Wszedł dziarskim krokiem do głównej sali, pośrodku której stał zły czarownik.

– Witam cię, o wielki i wspaniały czarowniku – powiedział kot przymilnie i ukłonił się w pas. – Przybyłem do ciebie z daleka, ponieważ słyszałem, że twoje czary są tak potężne, że potrafisz zmienić się w każde stworzenie, jakie tylko zechcesz.

– To oczywiste, głupi kocie – prychnął czarownik pogardliwie.

– Zamiana w dowolne zwierzę to dla mnie drobnostka.

I na dowód, że wie, co mówi, przemienił się w wielkiego lwa. Następnie wskoczył gwałtownie na wielki dębowy stół i ryknął tak przeraźliwie, że w zamkowych oknach popękały wszystkie szyby, a żyrandole huśtały się w prawo i w lewo. Kot z ledwością opanował drżenie nóg i wąsów, ale ani na chwilę nie stracił zimnej krwi:

– Och, czarodzieju – powiedział słodkim głosikiem – jestem przekonany, że niemal każdy czarodziej potrafi zamienić się w lwa. Ale nie jestem do końca pewien, czy potrafiłbyś zamienić się w coś tak drobnego, jak szara mysz.

– Też mi coś! – oburzył się czarownik pod postacią lwa. – To jeszcze łatwiejsze. Proszę bardzo!

I w tej samej chwili na stole, zamiast wielkiego potwora, stała malutka, popiskująca myszka. Kot tylko na to czekał. Nie tracąc ani chwili, skoczył na stół, złapał mysz w swoje pazury tak, jak to robił setki razy we młynie i zjadł ją ze smakiem. Moment później na dziedziniec zamkowy wjechała karoca z królem, jego córką i Jasiem-markizem. Władca był tak oczarowany posiadłościami, zamkiem i dokonaniami markiza, że zapragnął oddać mu rękę królewny. A że widział z jaką czułością i uśmiechem patrzy ona na Jasia, natychmiast mu to zaproponował.

Jaś ledwie zdołał wykrztusić swą zgodę, tak był oszołomiony i wzruszony. Następnie król kazał mu uklęknąć i w otoczeniu swoich rycerzy nadał mu tytuł książęcy i połowę królewskich posiadłości.

Wkrótce odbyło się huczne wesele i Jaś zamieszkał z królewną na dworze, a dzielny, sprytny kot został jego doradcą i szambelanem. Zaś po śmierci króla Jaś został władcą całej krainy. Dzięki radom kota mądrze rządził poddanymi i wszyscy żyli długo i szczęśliwie.

# Czerwony Kapturek

Była sobie raz mała dziewczynka, która bardzo kochała swoją babcię. Staruszka mieszkała w chatce, w pobliskim lesie i również
kochała swą wnuczkę. Pewnego dnia podarowała jej przepiękny kapturek z czerwonego aksamitu. Kapturek tak się jej spodobał, że od
tej pory nigdy się z nim nie rozstawała. Dlatego też ludzie, którzy
również bardzo ją lubili, bo była grzeczna, miła i uczynna, z czasem
zaczęli ją nazywać Czerwonym Kapturkiem.

Pewnego razu babcia zachorowała. Gdy dowiedziała się o tym
mama Czerwonego Kapturka, po-
stanowiła posłać babci lekarstwa,
kawałek placka, trochę owoców
i butelkę malinowego soku.
O zaniesienie koszyka
z prowiantem i le-
kami poprosiła
Czerwonego
Kapturka.

– Tylko pamiętaj, córeczko – powiedziała mama – idź do babci prosto, tak jak ścieżka prowadzi. Nie zbaczaj nigdzie, a przede wszystkim nie rozmawiaj po drodze z nieznajomymi.

– Dobrze, mamo, zrobię tak, jak mówisz – odpowiedziała grzecznie dziewczynka.

Pogoda była cudowna i słońce jasno świeciło, więc Czerwony Kapturek ruszył wesoło przed siebie. Po drodze wesoło podskakiwał, pozdrawiał sąsiadów i uśmiechał się do nich. Wkrótce minął domostwa i zagłębił się w las. Mimo panującego tam półmroku i tajemniczego szumu gałęzi, szedł dalej i dalej, podśpiewując raźno pośród wysokich sosen.

Kiedy minął kolejny zakręt na leśnej ścieżce, nagle zobaczył stojącego wilka. Był bardzo duży, kosmaty, miał wielkie, błyszczące ślepia i ostre pazury. W pierwszej chwili dziewczynka bardzo się przestraszyła i chciała natychmiast uciekać. Wilk jednak przemówił do niej głosem słodkim jak miód:

– Nie bój się, Czerwony Kapturku, jestem twoim przyjacielem.

– Nnn...aprawdę? – odparła dziewczynka niepewnie, drżąc ze strachu.

– Ależ oczywiście, nic ci nie grozi. Bardzo ładnie dziś wyglądasz – zapewnił wilk przebiegle.

– Ojej, dziękuję, wilku – rozpromieniła się dziewczynka, zapominając o przestrodze mamy.

– A dokąd to idziesz z tym koszykiem? – dopytywało się zwierzę.

– Do babci, która jest chora. Mieszka w drewnianej chatce z żółtymi okiennicami, na polanie, pośrodku lasu. Muszę jej zanieść prowiant i lekarstwa, żeby wyzdrowiała.

– Och, to bardzo ładnie z twojej strony – przymilał się wilk, obmyślając już plan jak zjeść i Czerwonego Kapturka, i staruszkę. – Czy nie uważasz, że sprawiłoby radość babci, gdybyś zaniosła jej również bukiet kwiatów? Rosną na polance, nieopodal.

– Ach, babcia bardzo lubi kwiaty, ale nie jestem pewna, czy to dobry pomysł... – wahała się dziewczynka, choć w głowie wyraźnie słyszała głos mamy, który stanowczo zabraniał jej kiedykolwiek zbaczać ze ścieżki.

– To tylko kilka minut, a przecież spełnisz dobry uczynek – zapewnił wilk.

– Skoro tak, to zerwę ich trochę – zgodziła się, zapominając o kolejnej przestrodze. „To tylko kawałeczek, a przecież nic złego nie robię. Mamie na pewno spodobałby się ten pomysł" – przekonywała sama siebie, choć coś wciąż podpowiadało jej, że nie czyni najmądrzej...

Wilk pożegnał się wylewnie, a dziewczynka podziękowała mu za radę i oddaliła się w kierunku polanki z kwiatami. Gdy tylko zniknęła w zaroślach, zwierzę pobiegło ile sił w nogach do domku babci. Gdy dotarło na miejsce, stanęło przed schludną, pobieloną chatką z żółtymi okiennicami i zastukało delikatnie w drewniane drzwi.

– Kto tam? – zapytała staruszka.

– To ja, Czerwony Kapturek, przynoszę ci lekarstwa i trochę pyszności od mamy – zawołał wilk cienkim głosikiem.

– Och, jak mi miło, że mnie odwiedzasz! Wejdź, proszę, wnuczko – odrzekła ucieszona, wstała z łóżka, założyła swoje wełniane papucie i otworzyła powoli zasuwkę.

Wówczas wilk, nie tracąc ani chwili, nacisnął klamkę, wskoczył do środka i połknął babcię. Następnie szybko włożył jej nocną koszulę, czepiec oraz okulary i wskoczył do łóżka, nakrywając się kołdrą po sam nos. Teraz musiał tylko spokojnie poczekać, aż nadejdzie dziewczynka.

Tymczasem Czerwony Kapturek narwał już cały bukiet kwiatów. Były delikatne, kolorowe i pięknie pachniały. „Na pewno spodobają się babci" – pomyślał Kapturek zadowolony, lecz w tym momencie przypomniał sobie o przestrogach mamy. Zawstydzona dziewczynka wróciła na ścieżkę i popędziła na polankę, gdzie żółciły się okiennice drewnianego domku babci. Kiedy dotarła do drzwi, zdziwiła się, że są otwarte na oścież. „Dziwne, przecież jest chora i nie wychodzi na dwór" – pomyślała zaniepokojony. Weszła jednak do środka i ujrzała babcię pod kołdrą z tak mocno naciągniętym na głowę czepcem, że widać jej było niemal tylko oczy spoglądające zza grubych okularów.

W wyglądzie babci było jednak coś bardzo dziwnego i niepokojącego. Czerwony Kapturek nie był do końca pewien co to było, ale mimo że poznawał babciny czepiec i jej okulary, coś wciąż się nie zgadzało.

– Babciu, już dawno tu nie byłam, ale coś trochę mnie dziwi. Czemu masz takie wielkie oczy? – spytała dziewczynka.

– Żeby cię lepiej widzieć, kochanie – odparł wilk
bez zastanowienia.

– Och, jak to miło, choć rzeczywiście są ogromne.
A czemu masz takie wielkie uszy?

– Żeby cię lepiej słyszeć, moja droga.

– Rzeczywiście, z takimi uszami musisz słyszeć mnie
doskonale, babciu. A czemu masz takie wielkie zęby?

– Żeby cię łatwiej pożreć! – ryknęło wilczysko,
wyskoczyło z łóżka i jednym kłapnięciem paszczy połknęło
Czerwonego Kapturka. Dziewczynka zdążyła tylko krzyknąć
na cały głos i zniknęła w czeluściach brzucha potwora.

Wilk był bardzo zadowolony – jego plan udał się znakomicie.
„Ależ niemądra ta mała dziewczynka! Dzięki niej dowiedziałem
się wszystkiego. Reszta poszła jak z płatka!" – myślał w duchu.
Jednak najedzona bestia wkrótce poczuła ogromną senność. Po-
człapała więc z powrotem do łóżka i legła w nim jak kłoda. Po
chwili w chacie słychać było tylko jednostajne, głośne chrapanie.

Czy to już koniec tej historii? Czy dziewczynka i babcia znikną
na zawsze w przepastnym żołądku wstrętnego, przebiegłego
wilka? Krzyk dziewczynki usłyszał przechodzący nieopodal gajowy. Doskonale znał babcię i często ją odwiedzał. W jej chatce
poznał też Czerwonego Kapturka. Lubił się z nim bawić i uczył
go jak odróżniać głosy zwierząt oraz różne gatunki drzew. Dlatego od razu rozpoznał, czyj to krzyk wydobył się z chaty. Podbiegł szybko w tamtym kierunku, wskoczył do środka i ujrzał
nieopisany bałagan, porozbijane sprzęty oraz śpiącego wilka
z wielkim brzuchem. Nie zastanawiał się długo. Chwycił szybko
leżące na stole nożyce i jednym ruchem rozciął brzuch bestii.
Natychmiast wyskoczyły z niego babcia i Czerwony Kapturek.

– Tak się bałam! Dziękuję, że nas uratowałeś! – zawołała
dziewczynka i rzuciła się gajowemu w ramiona. Nie mogli jednak zbyt długo cieszyć się ze spotkania – nie było czasu
do stracenia.

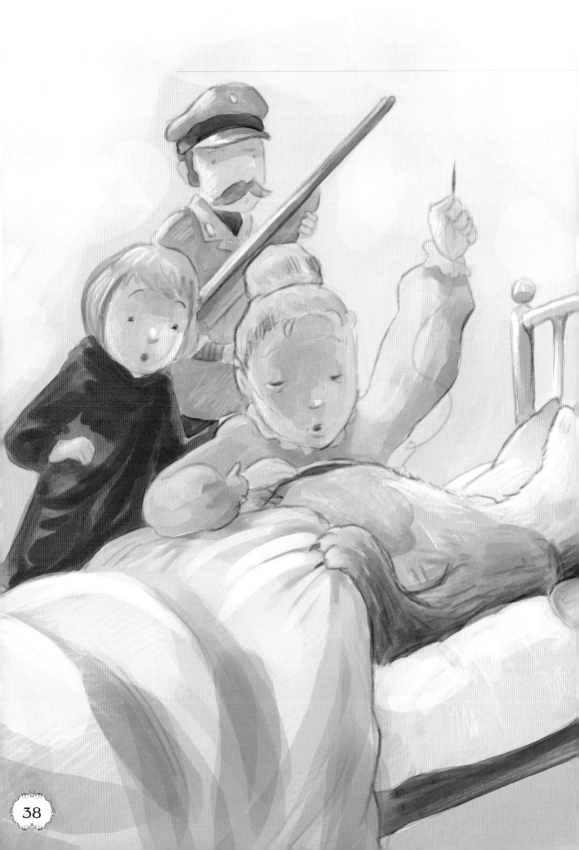

Gajowy wybiegł na zewnątrz, pobiegł do strumienia i szybko wrócił, niosąc garść ciężkich kamieni. Położył je na stole, a potem, z pomocą dziewczynki, włożył w rozcięty brzuch wilka. Następnie babcia chwyciła igłę oraz nić i zaszyła rozcięcie. Kiedy skończyła, gajowy nabił swą strzelbę, wyszedł przed chatkę i wypalił w powietrze. Huk był tak ogromny, że zadrżały szyby i zaszumiały drzewa. Oczywiście obudził również śpiącą w łóżku babci bestię, która poczuła wielki ciężar i ból w żołądku. Ach, co to było za cierpienie! Wyjąc, wybiegła z chaty i pognała, gdzie pieprz rośnie. To była doskonała nauczka dla okrutnego wilka. Od tamtej pory nikt nie widział go już w tamtej okolicy i wszyscy mogli wchodzić do lasu bez lęku, że go spotkają.

Zaś babcia, Czerwony Kapturek oraz gajowy posprzątali bałagan po wilku i siedli radośnie do stołu, by zjeść przyniesione przysmaki. Dodatkowo każdy zjadł całą miskę przepysznych jagód ze śmietaną i cukrem, które nazbierał w lesie gajowy. Staruszka pod opieką dziewczynki wkrótce wyzdrowiała, a Czerwony Kapturek w towarzystwie gajowego wrócił bezpiecznie do stęsknionej mamy.

Skruszona dziewczynka opowiedziała jej całą historię, gorąco przeprosiła, że nie była jej posłuszna i obiecała, że od tej pory będzie przestrzegać jej mądrych rad. Kochająca mama przytuliła mocno córeczkę i z radością wszystko jej wybaczyła. Od tamtej pory wszyscy żyli spokojnie i szczęśliwie, a o bestii nikt więcej nie słyszał.

# Roszpunka

Żyli sobie raz mąż i żona. Bardzo się kochali, ale od wielu lat daremnie pragnęli mieć dziecko. Z każdym rokiem żona była coraz smutniejsza, coraz mniej się uśmiechała, a jej oczy patrzyły gdzieś daleko. Gdy jej mąż wychodził do pracy w polu, ona często szła na stryszek ich małego domku i patrzyła smutno przez okno. Miała stamtąd widok na przepiękny ogród otoczony wysokim, kamiennym murem. Nikt jednak nie ważył się do niego wejść, bo należał do potężnej wiedźmy, która siała postrach w całej okolicy.

Pewnego ranka, wczesną wiosną, gdy kobieta siedziała jak zwykle smutna na poddaszu i patrzyła na zakwitający po zimie ogród czarownicy, dojrzała pośród szronu grządkę niewielkiej rośliny – roszpunki. Wyglądała niezwykle świeżo i zieleniła się pięknie we wschodzącym słońcu. Gdy kobieta wpatrywała się w ogród, nagle mocno zapragnęła skosztować rośliny. Wprost nie mogła przestać o niej myśleć. Jej obraz tkwił w głowie kobiety we dnie i w nocy. Wkrótce zaczęła chudnąć, a jej twarz stawała się coraz bledsza. Mąż spostrzegł to i spytał zatroskany:

– Powiedz, co się dzieje, najdroższa? Czego ci potrzeba?

– Nie mogę przestać myśleć, jak bardzo chciałabym skosztować roszpunki z ogrodu za murem. Czuję, że umrę, jeśli jej nie zjem.

„Jakże ona cierpi" – pomyślał mężczyzna, który kochał swą żonę tak, że aż czasem, gdy na nią patrzył, wzruszenie ściskało mu gardło. Mimo lęku postanowił spełnić jej pragnienie. Gdy zapadł zmrok, wyszedł na palcach z ich domku, przeskoczył bezszelestnie mur i narwał roszpunki. Potem równie cicho wrócił do domu. Jakże ucieszyła się jego żona rano, gdy na stole ujrzała sałatkę zrobioną z upragnionego ziela.

Zjadła ją natychmiast, ale poczuła, że jej pragnienie wzrosło jeszcze bardziej. Po kilku dniach było tak silne, że nie mogła już dłużej wytrzymać i znów poprosiła męża o roślinę. Ten, z duszą na ramieniu, ponownie zakradł się w nocy do tajemniczego ogrodu. Ale tym razem, gdy tylko pochylił się nad grządką roszpunki, usłyszał obok syk wiedźmy:

– Jak śmiałeśśś! – cedziła wściekła przez zęby. – Wtargnąłeś bezprawnie do ogrodu, by ukraść moją roszpunkę! Nie unikniesz kary!

– Ach, Potężna Pani – wyjęczał zrozpaczony mężczyzna – miej litość nade mną. Musiałem to uczynić. Od kiedy moja żona ujrzała roszpunkę, nie mogła bez niej żyć. Musiała ją zjeść.

Gdy wiedźma wysłuchała mężczyzny, przebiegły błysk pojawił się w jej oczach.

– Skoro tak – powiedziała w zmienionym nagle, życzliwym tonie – pozwolę ci odejść, a w dodatku wziąć mojej roszpunki tyle, ile będziesz chciał. Ale pod jednym warunkiem. Jeśli twa żona urodzi, oddasz mi dziecię, które powije.

Mężczyzna, chcąc nie chcąc, zgodził się i wrócił do domu. Ku zaskoczeniu obojga małżonków kobieta wkrótce poczęła dzieciątko. Lecz gdy tylko się narodziło, a była to śliczna dziewczynka, zgodnie z obietnicą musieli je oddać czarownicy. Ta natychmiast zabrała je do siebie i nadała mu imię Roszpunka.

Dziecko rosło szybko i było najpiękniejszą istotką pod słońcem. Zazdrosna starucha miała jednak własne, okrutne plany względem niego. Kiedy dziewczynka miała dwanaście lat, wiedźma zamknęła ją w wysokiej, kamiennej wieży stojącej pośrodku lasu. Nie było w niej ani drzwi, ani schodów, a jedynie niewielkie okienko na samym szczycie, pod dachem. Kiedy czarownica wchciała wejść do dziewczyny, stawała pod wieżą i wołała:

*Roszpunko, czyń, co należy:*
*warkocz swój spuść do mnie z wieży!*

Wtedy Roszpunka wychylała się z okna, przywiązywała swój piękny, długi, złoty warkocz do skobelka w oknie i spuszczała włosy na dół. Czarownica chwytała je mocno w swe kościste dłonie i wspinała się na górę.

Mijały lata. Aż pewnego dnia zdarzyło się, że nieopodal przejeżdżał na koniu młody książę. Był nie tylko urodziwy i bardzo odważny, ale miał również czułe serce i kochał śpiew. Jadąc drogą, ujrzał stojącą w lesie wieżę i udał się w jej stronę. Kiedy podjechał blisko, usłyszał tęskny śpiew Roszpunki stojącej w oknie. Gdy do jego uszu dotarł melodyjny głos dziewczyny i ujrzał z daleka jej oblicze, zakochał się w niej od razu. Odtąd co dzień udawał się pod wieżę, by słuchać śpiewu i patrzeć na ukochaną. Gdy któregoś razu stał między krzewami, oparty o drzewo, zobaczył jak pod wieżę podchodzi czarownica, wyciąga ręce w górę i woła:

*Roszpunko, czyń, co należy:*
*warkocz swój spuść do mnie*
*z wieży!*

Natychmiast z okna opadł sznur włosów i starucha wspięła się na górę. „Skoro tak czyni ta szpetna wiedźma, ja mogę zrobić to samo" – pomyślał książę. Gdy słońce prawie zaszło, zakradł się ponownie do lasu, stanął pod wieżą i zawołał:

*Roszpunko, czyń, co należy:*
*warkocz swój spuść do mnie z wieży!*

I rzeczywiście! Natychmiast na dole pojawił się złoty warkocz. Książę chwycił go i po chwili był już w komnacie wieży. Gdy Roszpunka zorientowała się, że to nie czarownica, początkowo bardzo się przestraszyła. Książę przemówił jednak do niej zachwycony i opowiedział, jak od wielu dni przychodził pod wieżę i słuchał jej pięknego głosu. Słysząc to, dziewczyna uspokoiła się, a nawet poczuła radość, że w jej samotnym życiu pojawił się ktoś nowy. Roszpunka rozmawiała z nim i śmiała się aż do świtu. Z każdą chwilą robiła się coraz szczęśliwsza, że spotkała tak dobrego człowieka.

Gdy zaczęło świtać i niebo zaróżowiło się delikatnie na horyzoncie, książę zapytał ją, czy zostanie jego żoną i zamieszka z nim w królewskim zamku. Roszpunka rozpromieniła się, wtuliła swe rączki w jego dłonie i powiedziała:

– Tak, bardzo chcę zostać twą żoną! Sama jednak nie wydostanę się z wieży. Gdy przyjdziesz następnym razem, przynieś ze sobą jedwabne nici. Ja uplotę z nich cienką drabinkę, po której będę mogła zejść na ziemię. Potem będziemy już zawsze razem.

Wtedy książę zsunął się po warkoczu z powrotem na dół. Od tej pory przychodził co noc pod wieżę i przynosił po trochu Roszpunce jedwabnych nici, z których ona plotła cienką drabinkę. Nie spotykał nigdy czarownicy, bo ta przychodziła do wieży jedynie w dzień.

Jednak pewnego razu, przez nieostrożność Roszpunki, wydarzyło się coś strasznego. Gdy starucha pięła się w górę, stękając z mozołu, dziewczyna westchnęła:

– Ależ to dziwne, że czarownica z takim trudem się wspina, podczas gdy książę wskakuje do mnie w mgnieniu oka...

Gdy tylko czarownica to usłyszała, wpadła w furię i krzyknęła:

– Ach, ty coś przede mną zatajasz! Nie udało mi się ukryć cię przed światem!

Natychmiast wyciągnęła ze swego przepastnego płaszcza wielkie nożyce i... rach, ciach, odcięła złoty warkocz Roszpunki! To jednak nie koniec. Nie bacząc, na płacz kulącej się w kącie dziewczynki, wyciągnęła swą magiczną różdżkę, uniosła ją w górę i wypowiedziała strasznym głosem potężne zaklęcie, które w oślepiającym błysku przeniosło Roszpunkę na środek odległego pustkowia. Gdy to uczyniła, zaczaiła się w komnacie i czekała wieczora. Z nastaniem zmroku pod wieżę zbliżył się książę i zawołał jak zawsze:

*Roszpunko, czyń, co należy:*
*warkocz swój spuść do mnie z wieży!*

Wtedy czarownica wywiesiła przez okno odcięty warkocz, a książę wspiął się na górę. Jednak zamiast pięknej Roszpunki ujrzał szpetną wiedźmę, która zawołała, rechocząc:

– Nie wiesz, gdzie podziała się twa ukochana? Więcej ci nie zaśpiewa, już moja w tym głowa!

I rzuciła się na niego, by go zabić. Jednak książę, nie bacząc na niebezpieczeństwo, w ostatniej chwili rzucił się w otwór okienny i skoczył w dół. Niestety upadł nieszczęśliwie na ciernie. Ich ostre kolce wykłuły mu oczy. Od tej pory błąkał się po lasach i bezdrożach, żywiąc się jedynie korą i jagodami. Płakał też nieustannie i nawoływał swej ukochanej, której obraz wciąż miał w pamięci mimo utraty wzroku.

Jednak po kilku latach zabłąkał się przypadkiem na pustkowie, gdzie wiedźma przeniosła Roszpunkę. Gdy dziewczyna ujrzała znękanego, obdartego księcia, natychmiast do niego podbiegła, chwyciła go w ramionach i rozpłakała się. A gdy jej łzy spłynęły na oczy chłopca, stał się cud i książę odzyskał wzrok!

Szczęśliwi młodzi natychmiast uciekli z pustkowia i udali się do królewskiego zamku. Tam pobrali się, zamieszkali i żyli długo w spokoju i szczęściu.

A gdy wiedźma dowiedziała się o tym, wpadła w taką wściekłość, że spadła z wieży i zginęła. Od tej pory już nikt nie cierpiał od jej czarów.

# Spis treści

Kopciuszek ............................................................. 3

Kot w butach ........................................................ 15

Czerwony Kapturek ............................................. 29

Roszpunka ............................................................ 41

Tekst: Marcin Malicki
Ilustracje: Marcin Piwowarski
Skład i opracowanie graficzne: Bernard Ptaszyński
Projekt graficzny okładki: Michalina Bajor

© Copyright by Wydawnictwo Zielona Sowa Sp. z o.o., Warszawa 2013
All rights reserved.

ISBN 978-83-7895-092-9

Wydawnictwo Zielona Sowa Sp. z o.o.
00-807 Warszawa, Al. Jerozolimskie 96
tel. 22 576 25 50, fax 22 576 25 51
www.zielonasowa.pl
wydawnictwo@zielonasowa.pl